100 bl

Blagues et devinettes
Faits cocasses
Charades

Illustrations :
Dominique Pelletier

Compilation :
Julie Lavoie

100 blagues! Et plus...
Nº 22

Dépôt légal : 3e trimestre 2008

ISBN-10 0-545-98811-X
ISBN-13 978-0-545-98811-7
Imprimé au Canada

Éditions Scholastic
604, rue King Ouest
Toronto (Ontario)
M5V 1E1
www.scholastic.ca/editions

Un garçon de 12 ans a finalement cessé de porter son chandail nº 4, le numéro de son joueur de football préféré. Il l'avait reçu en cadeau à l'âge de 7 ans et l'avait porté tous les jours depuis... (Bien sûr qu'il le lavait...) Le problème, c'était son apparence. Le chandail était très usé et très petit...

Mon premier est un homme qui n'entend pas.

Mon second est l'action de prendre son repas du midi.

Mon tout permet de diminuer l'intensité du son.

Chère planète, pour Noël, je t'offre une montagne... de déchets! Tous les emballages de jouets constitués de plastique, de carton et de polystyrène forment des montagnes de déchets. En quelques heures seulement, on bat tous les records de l'année en gaspillage et en production de déchets.

Mon premier est le contraire de dur.

Mon second est ce que provoquent les livres des 100 blagues.

Mon tout est ce que l'on fait lorsque le cœur cesse de battre.

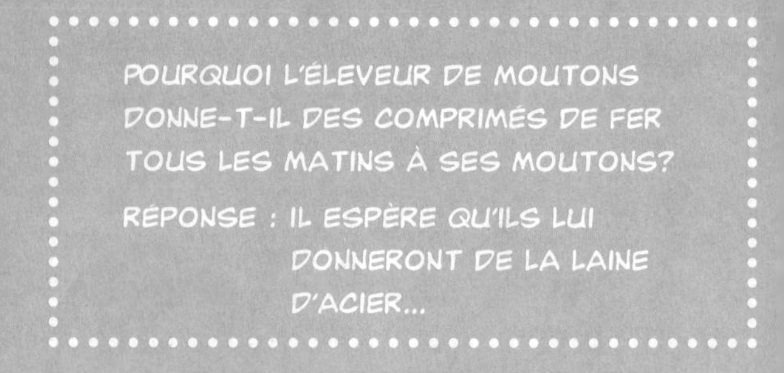

POURQUOI L'ÉLEVEUR DE MOUTONS DONNE-T-IL DES COMPRIMÉS DE FER TOUS LES MATINS À SES MOUTONS?

RÉPONSE : IL ESPÈRE QU'ILS LUI DONNERONT DE LA LAINE D'ACIER...

Au temps de la colonisation en Nouvelle-France, le pain avait une place prépondérante dans l'alimentation des habitants. Une personne pouvait en manger 1 kg par jour, l'équivalent d'environ 3 miches!

Mon premier est un plat chaud avec du bouillon, servi dans un bol.

Mon second est la journée qui précède aujourd'hui.

Mon tout est un récipient pour servir mon premier.

Le téléphone sonne. Une toute petite voix répond :

- Allô!

- Bonjour Léa, c'est ta tante Francine. Est-ce que ta mère est là?

- Oui, mais elle est occupée.

- Alors, est-ce que ton père est là?

- Oui, mais il est occupé.

- Est-ce qu'il y a quelqu'un d'autre à la maison?

- Oui, les policiers sont ici.

- Est-ce que je peux parler aux policiers?

- Ils sont occupés eux aussi.

- Mais qu'est-ce qu'ils font tous?

- Ils me cherchent, chuchote Léa.

Un peu avant Noël, Myriam regarde le prospectus d'un magasin de sport. Elle se met tout à coup à pleurer :

- Pourquoi pleures-tu? lui demande son père.

- C'est que je voulais demander cette trottinette au père Noël, mais regarde la photo! Il y a une autre petite fille qui l'a prise avant moi.

QUE DIT UN GRAIN DE MAÏS SOUFFLÉ À UN AUTRE?

RÉPONSE : C'EST FOU COMME ON S'ÉCLATE!

GUILLAUME
QUÉBEC, QUÉBEC

Un couple de l'Arkansas, aux États-Unis, a 17 enfants et la famille s'agrandit toujours! Ils vivent dans une maison de 650 m² et tous les enfants portent un prénom commençant par la lettre « J » : Jason, Joseph, James, Justin, Jessa...

Dans une prison, un jeune homme discute avec son voisin de cellule :

- C'est injuste! Le juge ne veut pas me croire. Je n'ai pas volé la voiture. Je l'ai seulement empruntée pour une urgence... Et toi, pourquoi es-tu ici? demande-t-il.

- Moi, je suis accusé d'avoir fait mes emplettes de Noël trop tôt...

- C'est trop injuste! Il n'y a aucun mal à faire ses achats de Noël en avance. Vous voyez comme le monde est rempli d'injustices... Mais qu'avez-vous fait au juste?

- Je me suis dépêché de choisir mes cadeaux, mais les paquets étaient trop lourds et je n'ai pas réussi à sortir avant l'ouverture du magasin...

Vous croyez qu'il y a plus d'accidents pendant les tempêtes? C'est faux. Les statistiques montrent que lors des tempêtes, les automobilistes conduisent de façon beaucoup plus prudente. Quand il fait beau, les gens prennent plus de risques.

Partout dans le monde, il y a de vieilles lois qui sont toujours en vigueur. Par exemple, en Oklahoma, aux États-Unis, il est interdit de lire un journal quand on conduit un véhicule motorisé.

Toujours en Oklahoma, il est interdit de faire des grimaces à un chien.

Une adolescente prépare la table pour le réveillon. Elle place les chandeliers et prend les allumettes. Elle tente d'en allumer une, deux, trois... mais aucune ne veut s'allumer! Elle continue d'essayer jusqu'à ce qu'une allumette s'enflamme enfin... L'adolescente souffle aussitôt dessus pour l'éteindre. Sa mère lui demande :

- Pourquoi l'as-tu éteinte?

- Les invités ne sont pas encore arrivés et maintenant que j'en ai une qui fonctionne, je veux la garder pour plus tard...

QUEL EST LE DESSERT PRÉFÉRÉ
DES POSEURS DE TAPIS?
RÉPONSE : LE TAPIOCA

Mon premier est un mot court qui veut dire la moitié.

Mon deuxième est ce qu'on dit d'une personne sans vêtement.

Mon troisième est le pluriel de ciel.

Mon tout est ce qu'on dit de quelqu'un qui s'applique.

COMMENT PEUT-ON DIVISER SEPT POMMES EN 16 PORTIONS ÉGALES?
RÉPONSE : ON COMMENCE PAR FAIRE UNE COMPOTE...

QUEL EST LE JEU PRÉFÉRÉ DES OPTOMÉTRISTES?
RÉPONSE : LES TROMPE-L'ŒIL.

Une souris et son ami l'éléphant veulent patiner sur un étang gelé. L'aimable souris dit à l'éléphant :

- Laisse-moi y aller d'abord pour voir si la glace est solide...

••••••••••••••••••••••••••••••••••••

- J'ai mal au ventre, docteur. J'ai mangé des moules pour le souper hier et je me sens mal depuis...

- Lorsque vous avez ouvert les moules, avaient-elle une bonne odeur? demande le docteur.

- Qu'est-ce que vous voulez dire par « ouvrir les moules »?

Un Américain a mis quelques heures à enfiler 155 t-shirts l'un par-dessus l'autre. Pour les retirer, il a fallu de bons ciseaux...

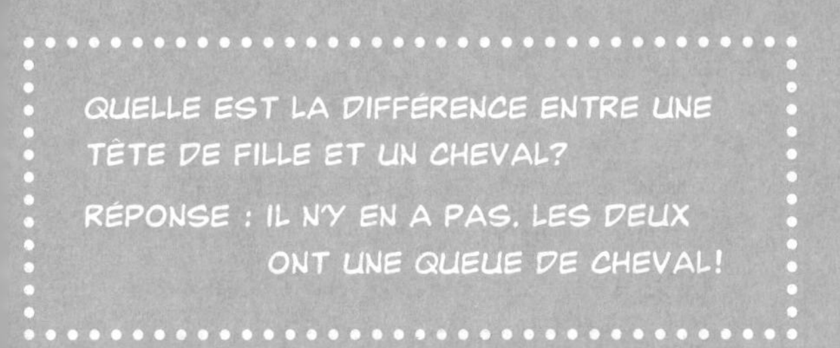

QUELLE EST LA DIFFÉRENCE ENTRE UNE TÊTE DE FILLE ET UN CHEVAL?

RÉPONSE : IL N'Y EN A PAS. LES DEUX ONT UNE QUEUE DE CHEVAL!

DESTINY
LA BROQUERIE, MANITOBA

QUELLE EST LA DIFFÉRENCE ENTRE UN SAPIN ET UN PIMENT?

RÉPONSE : IL N'Y EN A PAS. LES DEUX SONT PIQUANTS.

SÉRIK
LA BROQUERIE, MANITOBA

Julie aide sa mère à mettre la table avant l'arrivée des invités. Elle veut que tout soit parfait... Devant chaque couvert, elle place un verre rempli d'eau et un autre verre identique, mais vide.

- Pourquoi mets-tu un verre plein et un verre vide pour chaque personne? demande sa mère.

- Moi, il m'arrive d'avoir soif quand je mange. Mais parfois, je n'ai pas soif du tout...

La mouche domestique, l'animal le plus dangereux de la planète? Non seulement elle est exaspérante, mais aussi, après s'être posée sur toutes sortes de surfaces sales, elle transporte d'innombrables germes pouvant causer de nombreuses maladies graves.

QUEL GENRE DE DÉCORATION NE PLAÎT PAS DU TOUT AUX OPTOMÉTRISTES?

RÉPONSE : LE TAPE-À-L'ŒIL.

Mon premier est le contraire de bien.
Mon second dure soixante minutes.
Mon tout est une catastrophe.

Le stégosaure mesurait environ 7 m de long et plus de 4 m de haut. Mais son cerveau était gros comme une noix!

Selon une croyance populaire, croiser un chat noir venant de la gauche n'annonce rien de bon...

QUEL EST LE JUS PRÉFÉRÉ DES AMATEURS D'ARTS MARTIAUX?

RÉPONSE : LE JUDOKA (JUS D'OKA).

Mon premier est la couleur que l'on obtient en mélangeant du jaune et du bleu.

Mon deuxième est le contraire de mou.

Mon troisième rime avec mouture.

Un papa gronde son garçon.

- Va réfléchir dans ta chambre! lui dit-il.

- Papa, tu es méchant, lance le garçon.

- Non, je suis juste.

- Tu es juste méchant, dit le garçon, qui veut toujours avoir le dernier mot.

Quel est le rêve de l'écolier?

C'est de faire comme la rivière et de suivre son cours sans quitter son lit!

MARTIN
TROIS-RIVIÈRES, QUÉBEC

Une maman dit à sa fille :

- Pour ma fête, je veux une petite fille gentille.

- Youpi! Papa! Je vais avoir une petite sœur! lance la petite fille.

BENJAMIN
AZILDA, ONTARIO

En Alaska, une loi stipule qu'il est interdit de réveiller un ours pour le photographier.

N'ayant plus assez d'argent pour conduire sa vieille voiture, un Allemand, voulant protester contre la hausse du prix de l'essence, a décidé de l'incendier. Pourquoi ne l'a-t-il pas vendue? Peut-être ne valait-elle plus grand-chose...

Il y a trois personnes dans un avion : le président de la compagnie, un employé et son petit garçon. L'avion tombe en panne et commence à piquer du nez. Il y a deux parachutes seulement. Le président dit :

- Je suis le plus important et le plus intelligent, alors je prends un parachute.

Et il saute. L'employé se tourne alors vers son garçon et demande :

- Qu'allons-nous faire? Qui prendra le parachute?

- Nous! répond le garçon. Ton président a pris mon sac à dos...

JARED
AZILDA, ONTARIO

Mon premier est un cervidé d'Amérique.

Mon second est un récipient dans lequel on peut mettre de l'eau.

Mon tout est rond.

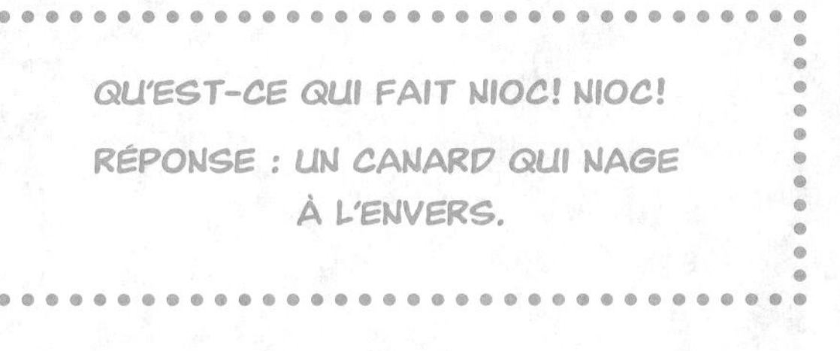

QU'EST-CE QUI FAIT NIOC! NIOC!

RÉPONSE : UN CANARD QUI NAGE À L'ENVERS.

MAUDE
ST-BASILE-LE-GRAND, QUÉBEC

Un homme est en train d'installer un paratonnerre. Assis sur le toit, il lit le manuel d'installation.

- Papa, pourquoi lis-tu sur le toit de la maison? demande Jérémie.

- J'ai toujours voulu faire des études supérieures, répond ironiquement le père.

••••••••••••••••••••••••••••••••••••

- Il y a des trous dans tes mitaines, dit Louis à son ami Guy.

- Il n'y a pas de trous dans mes mitaines! répond Guy. Regarde! Elles sont neuves...

- Alors s'il n'y a pas de trous, comment fais-tu pour les mettre?

Des îles de déchets? Selon une estimation de l'ONU (l'Organisation des Nations Unies), plus de 17 000 produits de plastique par kilomètre carré flottaient sur les océans en 2006.

Mon premier est le 5e mois de l'année.

Mon deuxième est une boisson que l'on boit chaude ou glacée.

Mon troisième est la seule voyelle de l'alphabet entre les lettres j et t.

Mon tout annonce le temps.

••••••••••••••••••••••••••••••••••••••

- Maman dit que je dois avoir un lit plus solide, explique Jean à son père.

- Ça m'étonne! Tu es tout petit et ton lit est neuf, lui répond celui-ci.

- C'est que maman dit que j'ai le sommeil lourd alors...

Trois astronautes discutent. Le premier dit :

- Moi, je suis le plus aventureux. J'ai été dans l'espace et j'ai vu la lune.

Le deuxième réplique :

- Non, le plus aventureux, c'est moi! J'ai été dans l'espace et j'ai marché sur la lune.

Le troisième commence :

- Vous vous trompez. C'est moi le plus aventureux, car j'ai marché sur le soleil.

- Impossible! disent les deux autres. Comment as-tu fait pour marcher sur le soleil?

- C'était la nuit... explique le troisième astronaute.

ALYSSA
AZILDA, ONTARIO

Un homme met une pièce dans une machine distributrice et presse un bouton. Une boisson tombe. Il met une seconde pièce, choisit un autre bouton et un sac de friandises tombe. Il met une troisième pièce, puis une autre... Il a maintenant deux boissons, une barre de chocolat, un sac de friandises et de la gomme à mâcher, mais il veut continuer... Il va voir une dame et lui demande de la monnaie pour un billet de 10 $.

- Pour quoi faire? Regardez tout ce que vous avez dans les mains! Ce n'est pas assez?

- Pourquoi je m'arrêterais? C'est mon jour de chance aujourd'hui. Chaque fois que je mets une pièce, je gagne...

Mon premier est brun même si on le dit noir et il en faut 100 pour en faire un...

Mon deuxième est une céréale très prisée des Asiatiques.

Mon troisième sert à couper du bois.

Tu respires mon quatrième.

Mon tout est un piège pour un petit rongeur.

Tante Géraldine vient visiter la famille... En voyant le petit Nicolas, elle lui dit :

- Nicolas, j'aimerais bien un câlin, mais tu as mangé du chocolat au dîner et tu n'as pas encore lavé ton visage...

- Je n'ai pas mangé de chocolat au dîner, ma tante, répond le garçon.

- Ce n'est pas bien de mentir, Nicolas. Ton visage est tout barbouillé!

- Je dis la vérité, ma tante! Le chocolat, c'était hier!

Dans quelques villes américaines, les autorités ont installé des faux ralentisseurs sur les routes (les ralentisseurs sont des bosses qui forcent les automobilistes à ralentir). Faits en plastique, ces ralentisseurs plats créent une illusion d'optique si bien qu'ils ont l'air de pyramides en 3D! Le problème, c'est que tout le monde sait qu'ils sont plats...

Un chat... à neuf queues? Ce n'est pas un animal, mais le nom du fouet à neuf lanières, qui servait à punir les marins désobéissants au temps des explorateurs et des pirates. Avant d'être fouetté, un marin devait lui-même faire les nœuds au bout de chaque lanière...

Un riche homme d'affaires décide d'offrir des conseils à des gens qui veulent démarrer leur entreprise. Quelques minutes seulement après l'ouverture, la salle d'attente de son nouveau bureau est pleine à craquer. Le premier client entre dans son bureau et s'assoit :

- Bonjour monsieur. D'abord, j'aimerais savoir quel prix vous demandez pour vos conseils?

- 4 000 $ pour 3 questions.

- Ne trouvez-vous pas vos tarifs trop élevés?

- Non, pas du tout. Maintenant, quel est votre troisième question?

Vrai ou fou?

1- La crémaillère est l'ustensile avec lequel on enlevait autrefois la crème qui remontait à la surface du lait frais.

2- Comédon est le nom d'un des premiers satellites de communication lancé dans l'espace.

3- Un cruciverbiste se dit d'un amateur de mots croisés.

Solutions à la page 108

Mon premier est ce que tu fais pour faire avancer le canoë.

Mon deuxième est ce que tu cherches dans le dictionnaire.

Mon troisième est dans le milieu du visage.

Mon tout est l'action de nettoyer une cheminée.

À Tokyo, une patrouille spéciale a pour mandat de contrôler la population de corneilles qui ne cesse d'augmenter. Les corneilles éventrent les sacs d'ordures et, de plus, elles causent de nombreuses pannes d'électricité. Les corneilles aiment aussi les bonbons...

QUELLE EST LA FLEUR PRÉFÉRÉE DES OPTOMÉTRISTES?

RÉPONSE : L'ŒILLET.

QUEL MÉTIER PEUT-ON FAIRE SANS AVOIR ATTEINT L'ÂGE DE LA MAJORITÉ?

RÉPONSE : MINEUR.

Vous prenez de l'argent comptant ou de l'argent collant? Les deux sont bons! Dans l'Égypte ancienne, les gens utilisaient du miel comme monnaie d'échange...

- Pourquoi es-tu en retard aujourd'hui? demande l'enseignante à Maxime.

- J'ai rêvé que je regardais un match de hockey à la télé...

- Et alors? Ce n'est pas une excuse pour arriver en retard à l'école.

- C'est que la partie était nulle et il y a eu une période de prolongation. Je ne pouvais pas manquer ça!

Mon premier est une pièce de jeu à six faces.

Mon deuxième est une syllabe du mot bicycle qui n'est pas dans le mot cyclable.

Mon troisième est la seizième de sa catégorie.

Mon tout signifie couper du bois.

Si on a gagné beaucoup d'argent à la Bourse, on peut bien fêter ça en s'offrant un petit hamburger à... 175 $! Un restaurant de New York a fait passer le prix de son sandwich de 150 à 175 $ et conserve ainsi son titre du hamburger le plus cher en ville. L'histoire ne dit toutefois pas si les frites sont comprises...

Un père raconte à son fils qu'il faisait des vœux quand il était petit.

- Est-ce que certains de tes vœux se sont réalisés? demande le garçon.

- Malheureusement, oui...

- Pourquoi malheureusement? Tu devrais être content...

- Quand ma mère me lavait les cheveux, elle grattait si fort que je souhaitais ne plus avoir de cheveux...

Un papa et son fils vont au cirque. À l'entracte, ils se lèvent pour aller prendre une collation. Lorsqu'ils veulent regagner leurs sièges, le papa ne se souvient plus où ils se trouvent...

- Laisse-moi faire papa, dit le garçon.

Celui-ci tape sur l'épaule d'un homme au bout d'une rangée et lui demande :

- Monsieur, est-ce vos orteils que j'ai écrasés tout à l'heure?
- Oui! répond l'homme, fâché.
- Viens papa! c'est ici.

- Grand-papa, as-tu de bonnes dents? demande Émilie.

- Je n'ai plus de dents et je n'ai toujours pas reçu mon dentier, répond le grand-papa.

- Génial! Euh... Parfait! Peux-tu tenir mon sac de jujubes s'il te plaît?

Mon premier est le contraire de pas assez.

Mon deuxième est un oiseau bavard.

Mon troisième est une partie au fond d'un navire.

Mon tout est relatif à un climat.

Après s'en être pris à des plaisanciers, un crocodile agressif a passé une nuit sous les verrous dans une région reculée du nord de l'Australie. Des agents des parcs nationaux ont ensuite organisé le transfert de l'animal dans un lieu plus approprié...

Toujours en Australie, un crocodile
nesurant un mètre de long est arrivé à la
orte d'un bar. Quelques clients polis l'ont
invité à entrer... Ils lui ont attaché la
gueule et se sont fait photographier en
compagnie du reptile!

Un fier papa se promène avec son bébé. Lorsqu'il s'arrête à un feu rouge, une dame commente :

- Comme il est mignon votre bébé! Quel âge a-t-il? Et comment s'appelle-t-il?

- Comment puis-je le savoir? Il ne parle pas encore...

•••••••••••••••••••••••••••••••••••••••

Mon premier est une syllabe du mot assagir qui est aussi dans le mot vernissage.

Mon second est un conifère.

Mon tout est un autre conifère.

En Australie et en Afrique du Sud, on fête Noël en été et non en hiver comme en Amérique du Nord!

- Tu devrais suivre des cours de yoga, dit Joanne à Sylvie. Ça te détendrait et tu arrêterais de te ronger les ongles...

- Tu as raison, je vais essayer, répond Sylvie.

Quelques mois plus tard, les deux femmes se rencontrent à l'épicerie. Joanne s'exclame :

- Je vois que le yoga te fait du bien. Tu as arrêté de te ronger les ongles!

- Pas tout à fait... Depuis que je fais du yoga, je peux atteindre mes ongles d'orteils...

En plein milieu de la nuit, un vampire arrête un passant sur le trottoir et lui demande :

- Connaissez-vous un restaurant où on sert des clients?

- À cette heure tardive, j'en connais seulement un. Il se trouve juste au coin de la prochaine rue.
Le vampire entre dans le restaurant. Une serveuse lui désigne une table :

- Vous voulez le menu, monsieur?

- Ce ne sera pas nécessaire. On m'a dit que vous serviez des clients ici...

Une femme russe, qui a vécu il y a quelques centaines d'années, a mis au monde 69 enfants. Elle a eu des jumeaux 16 fois, des triplés 7 fois et des quadruplés 4 fois!

Mon premier est ce que tu mets avant de chausser tes bottes.

Mon second est ce que tes yeux te permettent de faire.

Mon tout protège les vêtements des petits.

••••••••••••••••••••••••••••••••••••

Mon premier signifie qu'il y en a deux.

Mon second est la partie molle du pain.

Mon tout est une autorisation.

Une femme joue aux dames avec son chien. Son amie venue lui rendre visite s'exclame :

- C'est incroyable! Je n'arrive pas à croire que tu puisses jouer aux dames contre un chien. Il est extraordinaire!

- Il n'est pas si extraordinaire. Il m'a battue seulement deux fois sur cinq...

QUE FAUT-IL FAIRE AVANT DE DESCENDRE D'UN TRAIN?

RÉPONSE : IL FAUT MONTER...

- Pourquoi lis-tu le journal dehors? Il fait -10 degrés et il neige! demande Sébastien à sa mère.

- C'est que j'aime les nouvelles fraîches...

•••••••••••••••••••••••••••••••••••••

- J'ai trop mal au ventre, dit un brin de gazon à un autre.

- Moi aussi. Alors gazons!

AMÉLIE
ST-NICOLAS (QUÉBEC)

En Allemagne, deux femmes qui ont tenté de voler un peu de fumier dans une ferme pour faire une blague n'ont pas eu la tâche facile. L'une d'elles serait tombée dans le tas de fumier. Toutes deux auraient alors retiré leurs vêtements souillés dans un champ avant de prendre la fuite...

DE QUOI LES COUTURIÈRES ONT-ELLES GRANDEMENT BESOIN MÊME SI ELLES LES DÉTESTENT?

RÉPONSES : DES BOUTONS.

Mon premier est le contraire de mauvais.

Mon second est une personne de sexe masculin.

Mon tout peut être en neige.

QUEL EST LE CHAPEAU PRÉFÉRÉ DU MARCHAND DE FRUITS?

RÉPONSE : LE CHAPEAU MELON.

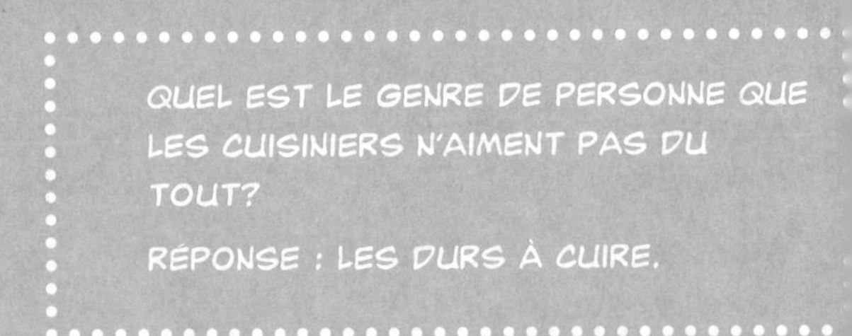

QUEL EST LE GENRE DE PERSONNE QUE LES CUISINIERS N'AIMENT PAS DU TOUT?

RÉPONSE : LES DURS À CUIRE.

Pour attirer les lapins, le renard se met à tourner en rond et à sauter dans tous les sens comme s'il avait perdu la tête. Les lapins adorent ce spectacle et ne prêtent pas attention au renard qui s'approche... et miam!

Une maman dit à son fils :

- Tes dents sont sales. Va les brosser s'il te plaît.

- C'est de ta faute maman! Tu m'as servi de la nourriture sale...

UN PROFESSEUR ET UN THERMOMÈTRE ONT-ILS QUELQUE CHOSE EN COMMUN?

RÉPONSE : OUI. ILS FONT TOUS LES DEUX CLAQUER DES DENTS LORSQU'ILS MARQUENT ZÉRO...

Avais-tu remarqué que chaque mouffette a un parfum différent? Une chose est sûre, il est tout aussi nauséabond!

Un petit garçon va à la ferme avec sa classe. De retour à la maison, il dit à ses parents :

- J'ai vu plusieurs animaux. Il y avait un gros cochon rose qui faisait exactement le même bruit que papa quand il dort...

- Certaines choses sont peut-être vraies, mais il peut être blessant de les dire, tente d'expliquer sa mère, qui ne peut s'empêcher de sourire. Est-ce que tu as remarqué autre chose à la ferme?

- Oui! J'ai vu une très belle vache, qui beuglait comme toi quand tu te réveilles de mauvaise humeur!

- C'est tellement dur, la planche à roulettes! dit Louis.

- Mais non... C'est l'asphalte qui est dur! répond Lina.

QUEL EST LE SEUL MARIN QUE LE CAPITAINE NE TOLÈRE PAS SUR SON NAVIRE?

RÉPONSE : LE MARINGOUIN...

- Ton lapin, est-ce que c'est un lapin ou une lapine? demande Alexandra à Sophie.

- C'est un lapin voyons!

- Comment le sais-tu?

- C'est évident! Regarde ses moustaches!

POURQUOI LA POULE NE RACONTE JAMAIS DE MENSONGES?

RÉPONSE : ELLE N'AIME PAS MARCHER SUR DES ŒUFS.

En Angleterre, un chat est resté perché pendant 18 heures sur un poteau de téléphone. Il a fallu l'aide de pompiers, d'agents de la SPA et de travailleurs de la compagnie d'électricité pour le faire descendre. Sa maîtresse a su l'histoire plus tard, en lisant le message qui avait été attaché au collier de son chat.

Un papa demande à sa fille :

- Tu lis lentement. Tu écris lentement. Tu manges lentement. Tu ramasses tes jouets lentement. Je me demande s'il y a quelque chose que tu peux faire vite...

- Oui papa! Je me fatigue vite! répond la fillette.

- Je déteste le fromage avec des trous! dit Simon à son père.

- Alors mange ce qu'il y a autour des trous!

Un journaliste qui fait chaque semaine la critique d'un restaurant s'installe à la meilleure table d'un café. Il s'adresse au serveur :

- Dites-moi, monsieur, commence-t-il avec ses manières hautaines, servez-vous des légumes dans votre établissement?

- Sachez, mon cher monsieur, que notre établissement sert tout le monde, même les légumes, incluant les pieds... de céleri et ceux qui veulent nous faire passer pour un navet... Si vous arrêtiez, monsieur, de nous lancer des tomates, vous seriez traiter ici aux petits oignons...

Mon premier est le contraire de plein.

Mon deuxième est ce qui te sert à croquer.

Mon troisième est un pronom personnel sujet.

Mon tout peut sentir mauvais.

Grâce à ses quelque 300 alvéoles, la balle de golf peut voler trois fois plus loin qu'une balle lisse. Des balles aux motifs irréguliers pourraient voler encore plus vite, mais elles ne sont pas permises.

Mon premier est le contraire de froid.

Mon second est le contraire de sous.

Mon tout va aux pieds.

POURQUOI LÉO SE FAIT-IL TOUJOURS PRENDRE LES CULOTTES À TERRE?

RÉPONSE : PARCE QUE SON PANTALON EST TROP GRAND.

- Papa, je te rapporte quelque chose de la garderie! Il faut que tu regardes bien...

- Je ne vois rien... Dis-moi ce que c'est!

- Des petits poux!

••••••••••••••••••••••••••••••••••••

- Qu'est-ce que l'invention de la voiture a changé dans le monde? demande l'enseignant à ses élèves.

- Les hommes ont enfin cessé de traiter les chevaux comme des bêtes! répond Pascal.

En Angleterre, des chercheurs ont rempli une piscine avec de la délicieuse crème anglaise pour faire des expériences. Ils ont démontré qu'on pouvait marcher sur la crème sans s'enfoncer... Mais que se passe-t-il si on arrête de marcher? On coule!

Gérard et Jeannette Sansfaçon, ainsi que leur fils Jérôme, reçoivent des gens importants à souper. Après l'entrée, Jeannette sert le steak et les légumes. Gérard commence à couper son steak... Il appuie fort sur le couteau, mais la viande est plutôt coriace... Lorsqu'il réussit enfin à couper sa première bouchée, le couteau glisse sur l'assiette en faisant un bruit strident. Tous lèvent les yeux avec horreur... Embarrassé, Gérard bredouille quelques mots d'excuse. Jérôme vient à son secours :

– Ne t'en fais pas papa, maman m'avait dit que c'était le plat de résistance...

Avec ses grandes ailes d'une envergure de 3 m, l'albatros hurleur peut voler pendant plusieurs semaines sans atterrir et il peut parcourir près de 900 km en une seule journée!

POURQUOI UNE FEMME NE VEUT-ELLE PAS SERRER LA MAIN AU CARDIOLOGUE QUI VIENT DE LA SAUVER?

RÉPONSE : ELLE DIT QU'IL A LE COEUR SUR LA MAIN.

Un homme qui souffre d'anxiété et de troubles du sommeil se rend chez le docteur.

- Docteur, je ne sais pas ce qui m'arrive. Ça ne va plus du tout. Quel est mon problème?

- Humm... Je ne peux pas vous le dire avec certitude. Je crois que c'est à cause du café.

- Je comprends, docteur. Prenez le temps de boire votre café et je reviens dans 10 minutes.

Un ingénieur suisse et son chien sont revenus d'une promenade couverts de chardons. Plus fasciné qu'embêté, l'homme a eu une idée. En se servant d'une bande de tissu garnie de minuscules crochets et d'une autre imitant les petites boucles du velours de son pantalon, il a créé le velcro (vel pour velours et cro pour crochet).

Un homme fait des travaux d'entretien dans une piscine publique. Un baigneur monte sur le tremplin :

- Monsieur, ne sautez pas! Il n'y a pas d'eau dans la piscine!

- C'est parfait! répond le baigneur. Je ne sais pas nager!

Mon premier t'a mis au monde.

Mon second est le jour avant Noël.

Mon tout est magnifique.

••••••••••••••••••••••••••••••••••••••

Mon premier permet au professeur d'écrire au tableau à l'intention de tous les élèves.

Mon second est le bruit que tu fais pour imiter une vache.

Mon tout est doux pour le palais.

Avant l'invention de la rondelle de hockey noire que tous connaissent, on se servait, pour jouer, d'un disque de bouse de vache gelée ou de rondelles de bois.

Trois rats discutent vivement de leurs exploits.

Le premier dit :

- Moi, je suis tellement fort qu'un jour, j'ai mangé toute une boîte de poison à rats et regardez-moi! Je suis en pleine forme aujourd'hui!

- Et moi, je me suis fait prendre dans un piège... Je suis tellement fort que j'ai réussi à ronger le grillage et à m'enfuir.

- Vous n'êtes pas modestes, messieurs, dit le troisième. J'en ai assez entendu! Je m'en vais taquiner le chat du voisin...

Dans l'Ancienne Égypte, on dormait sur des lits durs avec un appuie-tête fait de bois en guise d'oreiller...

QUE FAIT LE BÛCHERON APRÈS UNE JOURNÉE DE TRAVAIL?

RÉPONSE : IL DORT COMME UNE BÛCHE.

Une grand-maman demande à son petit-fils :

- Que veux-tu faire quand tu seras grand?

- Je veux être professeur ou pêcheur, dit le garçon.

- Pourquoi ces deux métiers? interroge la dame.

- Les professeurs sont en congé l'été et les pêcheurs ne travaillent pas l'hiver...

L'enseignante demande à ses élèves :

- Si je vous dis : « La souris est mangée par le chat. » Pouvez-vous m'indiquer où est le sujet?

- Dans l'estomac du chat! répondent les élèves.

••••••••••••••••••••••••••••••••••••

Deux jeunes hommes montent sur un vélo pour aller au bar laitier. Celui qui est derrière crie tout à coup à l'autre :

- Va moins vite! J'ai peur!

- Fais comme moi et ferme les yeux! lance le cycliste.

Les Vikings ne combattaient pas avec des chapeaux à cornes sur la tête. C'est un mythe! Ces chapeaux ont existé, mais les spécialistes croient plutôt qu'ils avaient une signification religieuse. Les cornes font toutefois sensation au théâtre et au cinéma...

Les Vikings aimaient utiliser les os des d'animaux qu'ils avaient mangés pour fabriquer des bijoux.

Mon premier est un moyen de transport pour les personnes et la marchandise.

Mon second est l'abréviation de numéro.

Mon tout glisse.

•••••••••••••••••••••••••••••••••••••

- Quelle heure est-il? demande Julie
- Il est 4 heures, répond la monitrice.
- Franchement, soupire Julie, je le demande depuis ce matin et personne ne me répond la même chose!

VALÉRIE
DUBREUILVILLE (ONTARIO)

À la fin du 16e siècle et au début du 17e, les rôles féminins des pièces de théâtre de Shakespeare étaient joués par des jeunes hommes.

Le cochon d'Inde ne fait pas partie de la famille du cochon... et il n'est pas sale. C'est un rongeur qui vient de l'Amérique du Sud et non de l'Inde. Alors pourquoi ce nom? Christophe Colomb se croyait en Inde lorsqu'il a vu la bête pour la première fois et il fallait bien lui donner un nom!

Mon premier tient ta tête et la fait tourner.

Mon second est une syllabe qui est dans le mot tromper et dans le mot pédoncule.

Mon tout peut être dangereux.

••••••••••••••••••••••••••••••••••••••

Mon premier sert à fabriquer des chandelles.

Mon second change quand tu célèbres ton anniversaire.

Mon tout rend le cuir brillant.

Annie raconte à Marion que sa mère a perdu 30 livres en une seule journée.

- Elle devrait dire à ma mère ce qu'elle a fait! répond Marion, impressionnée.

- C'était un accident. Elle a oublié d'éteindre une chandelle et sa bibliothèque a brûlé... explique Annie.

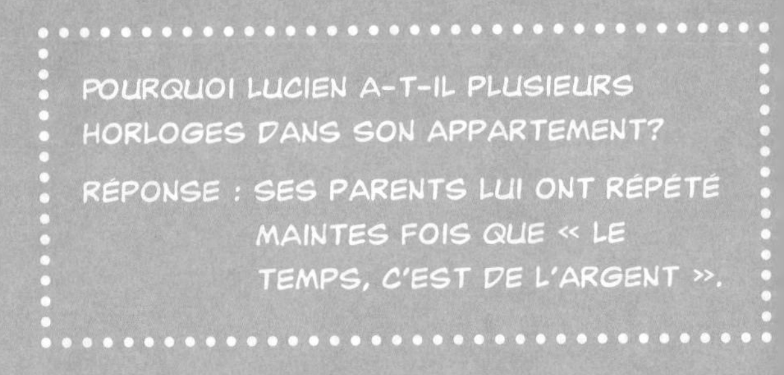

POURQUOI LUCIEN A-T-IL PLUSIEURS HORLOGES DANS SON APPARTEMENT?

RÉPONSE : SES PARENTS LUI ONT RÉPÉTÉ MAINTES FOIS QUE « LE TEMPS, C'EST DE L'ARGENT ».

Un bon nageur peut atteindre la vitesse de 8 km/h et un crocodile peut nager à 14 km/h...

Une jeune fille a besoin d'argent de poche. Elle demande à sa mère :

- Maman, est-ce que tu préfères me donner de l'argent de poche pour que je joue du saxophone ici... ou préfères-tu me donner de l'argent pour que j'aille jouer chez grand-maman?

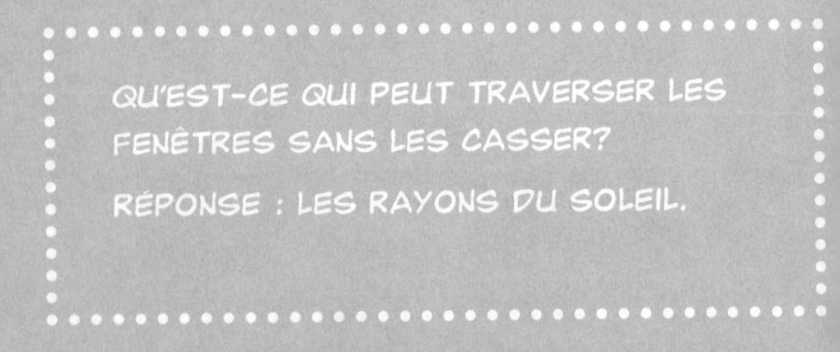
QU'EST-CE QUI PEUT TRAVERSER LES FENÊTRES SANS LES CASSER?

RÉPONSE : LES RAYONS DU SOLEIL.

En Allemagne, une jeune femme a trouvé un python dans un stationnement. Elle a décidé de prendre la chose en mains! Elle a mis le reptile dans une boîte de plastique et l'a amené au poste de police!

Sophie place une rangée de cailloux blancs tout autour de sa maison. Le petit Julien lui demande :

- Qu'est-ce que tu fais?

- Je place des cailloux blancs autour de la maison parce que mon papa m'a dit que ça fait fuir les extraterrestres, dit Sophie.

- C'est une blague! Il n'y a pas d'extraterrestres dans ta maison!

- Alors tu vois? Ça marche!

Les humains mangent leurs bananes à l'envers, c'est-à-dire en commençant par la tige. Les singes, eux, commencent par l'autre extrémité. Logique! De cette façon, la banane est plus facile à peler et on peut la manger entière... et non en purée!

POURQUOI LES VOLEURS AIMENT-ILS LA CRÈME FOUETTÉE?

RÉPONSE : ILS AIMENT TOUT CE QUI EST RICHE.

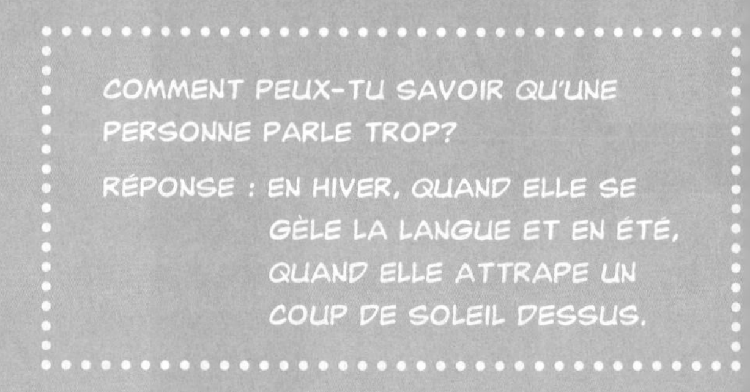

COMMENT PEUX-TU SAVOIR QU'UNE PERSONNE PARLE TROP?

RÉPONSE : EN HIVER, QUAND ELLE SE GÈLE LA LANGUE ET EN ÉTÉ, QUAND ELLE ATTRAPE UN COUP DE SOLEIL DESSUS.

Fais-nous rire!

Envoie-nous ta meilleure blague.
Qui sait? Elle pourrait être publiée dans
un prochain numéro des
100 BLAGUES! ET PLUS...

100 Blagues! Et plus...
Éditions Scholastic
604, rue King Ouest
Toronto (Ontario)
M5V 1E1

Au plaisir de te lire!

Nous nous réservons le droit de réviser,
de modifier, de publier ou d'utiliser
les blagues à d'autres fins, dont la promotion,
sans autre avis ou compensation.

Solutions

SOLUTIONS DES CHARADES

Page 4 ....Sourdine
Page 6 ....Mourir
Page 8 ....Soupière
Page 17 ....Minutieux
Page 24 ....Malheur
Page 27 ....Verdure
Page 33 ....Cerceau
Page 36 ....Météo
Page 39 ....Souricière
Page 45 ....Ramoner
Page 50 ....Débiter
Page 55 ....Tropical
Page 58 ....Sapin
Page 63 ....Bavoir
Page 63 ....Permis
Page 67 ....Bonhomme
Page 78 ....Vidanges
Page 80 ....Chaussures
Page 88 ....Merveille
Page 88 ....Crémeux
Page 96 ....Traîneau
Page 99 ....Couper
Page 99 ....Cirage

Page 44 VRAI OU FOU?

1- Fou. Une crémaillère est une pièce de fer qui sert à suspendre une marmite dans la cheminée.

2- Fou. Un comédon est ce qu'on appelle communément un point noir sur la peau...

3- Vrai.